fragen suchen entdecken

Religion in der Grundschule 1/2 für Baden-Württemberg

Herausgegeben von
Dr. Barbara Ort und Ludwig Rendle
mit Beratung von Prof. Dr. Lothar Kuld

Erarbeitet von
Konrad Bürgermeister, Margot Eder, Doris Friemel,
Paul Hartl, Ulla Heitmeier, Anita Hofbauer,
Walter Liehmann, Andrea Wirth

Bearbeitet von
Dr. Barbara Ort und Ludwig Rendle

Kösel / Klett

fragen – suchen – entdecken
Religion in der Grundschule 1/2
für Baden-Württemberg

Herausgegeben von
Dr. Barbara Ort und Ludwig Rendle
mit Beratung von Prof. Dr. Lothar Kuld

Erarbeitet von
Konrad Bürgermeister, Margot Eder, Doris Friemel, Paul Hartl, Ulla Heitmeier,
Anita Hofbauer, Walter Liehmann, Andrea Wirth

Bearbeitet von
Dr. Barbara Ort und Ludwig Rendle

Illustriert von Gabriele Hafermaas

Zugelassen als Lehrbuch für den katholischen Religionsunterricht durch die Diözesanbischöfe
von Freiburg, Mainz (für den Bistumsanteil im Bundesland Baden-Württemberg) und Rottenburg-Stuttgart
Folgt der aktuellen Rechtschreibung (2006)

Dieses Buch wurde auf chlor- und säurefreiem Papier gedruckt.

3. Auflage 2010

Umschlag: Kaselow Design, München,
unter der Verwendung von Illustrationen von Gabriele Hafermaas, Immenhausen
Satz: Kösel-Verlag, München
Notensatz: Christa Pfletschinger, München
Druck und Bindung: Ludwig Auer GmbH, Donauwörth
Printed in Germany

ISBN 978-3-466-50726-9 (Kösel)
ISBN 978-3-12-004294-5 (Klett)

Der Kösel-Verlag ist Mitglied im Verlagsring Religionsunterricht (VRU), www.vru-online.de

www.klett.de
www.koesel.de

vru
verlagsring
religionsunterricht

Liebe Schülerin, lieber Schüler!

Vor dir liegt dein erstes Religionsbuch.
Wenn du es aufschlägst, findest du viele Bilder, Lieder, Geschichten und Vorschläge für Aufgaben, die du lösen kannst.
Das Buch lädt dich ein zu **entdecken**, was für dich wichtig ist, und nach Antworten zu **suchen**, gemeinsam mit deiner Lehrerin, deinem Lehrer und mit den Schülerinnen und Schülern in deiner Klasse.

Du wirst **entdecken**, dass es viele Bilder und Erzählungen gibt, die dir von Jesus berichten. Andere Seiten im Buch **fragen** mit dir nach Gott und danach, wie wichtig er für dich und alle Menschen ist.

Die ersten und letzten Seiten laden dich ein, deine Umgebung genau zu beobachten, deine Sinne zu gebrauchen und darüber zu staunen, was sie alles können. Du kannst auch entdecken, wie wichtig die Stille ist, damit du etwas Neues erfahren kannst.

Am Ende deines Religionsbuchs findest du besondere Seiten. Sie schlagen dir vor, selbst ein Buch zu gestalten, das nur dir gehört.

Nach einiger Zeit in der Schule kannst du zusammen mit deinen Mitschülerinnen und Mitschülern, mit deiner Lehrerin oder deinem Lehrer überlegen, wie ihr am besten zusammen lernen könnt. Am Ende des Buches findest du dazu viele Anregungen.

Neugierig geworden?
Relix begleitet dich, wenn du die Schätze entdeckst, die in deinem Religionsbuch noch verborgen sind.

Viel Spaß mit *fragen – suchen – entdecken* wünschen dir

die VerfasserInnen, die Herausgeberin und der Herausgeber

Inhalt

Stille entdecken

Wir werden jetzt ganz leis

T/M: Monika Zimmermann

1 In die Schule gehen – miteinander lernen

Das bin ich ...

... Wer seid ihr?

➤ Wir erzählen von uns.

Wir gehören zusammen

Ich geb nach rechts und links die Hand.
Schon bald bin ich mit dir bekannt.
Ich lache dir noch freundlich zu
und sage fröhlich: „Hallo, du!"

Ich bin Relix.
Ich bin mit dabei.
Ich begleite euch!

Miteinander lernen

Die Freitags-Versammlung mitmachen
Wir sitzen im Kreis.
Wir überlegen mit unserer Lehrerin:
Was war in dieser Woche gut?
Was hat uns nicht gefallen?
Was nehmen wir uns für die nächste
Woche vor?

Die Knoten-Schnur lösen
Wir haben in der Schule
manchmal Streit.
Da gibt es eine Schnur.
Wenn zwei Kinder streiten,
holt jemand die Schnur
und macht einen Knoten hinein.
Die Streithähne machen den Knoten auf,
dann geben sie sich die Hände
und vertragen sich wieder.

T/M: Martin G. Schneider © Gustav Bosse Verlag, Kassel

Sehen – nachdenken

- Die Kastanie erzählt eine Geschichte.
- Die braunen Blätter erzählen eine Geschichte.

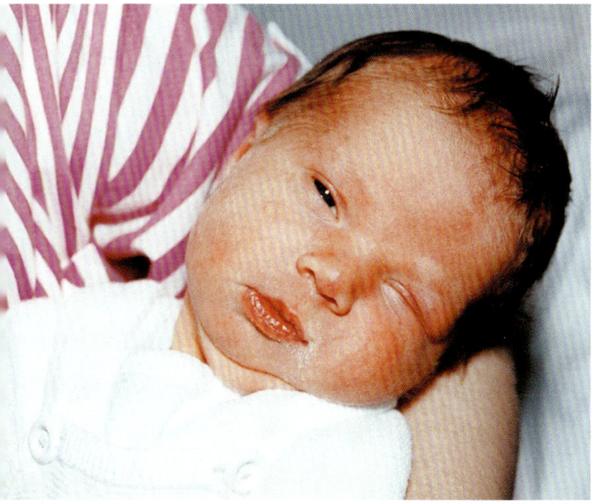

Wenn ich groß bin,
werde ich Polizist oder Feuerwehrmann.
Vielleicht werde ich auch Förster
oder Pilot.

➤ Klein sein – groß sein – alt werden ...

Sich freuen – traurig sein – beten

O Gott, dir kann ich vertrauen
in jedem Kummer.
muslimisch

Ich danke dir,
dass du mich so
wunderbar geschaffen hast.
Psalm 139,14

➤ Zu manchen Sätzen in den Luftballons passen die Gebete auf dieser Seite.

Wie wunderbar
hast du alles gemacht.
Psalm 104,24

Wenn ich Angst bekomme,
vertraue ich dir, mein Gott.
Psalm 56,4

Ich klage
wie ein einsamer Vogel
auf dem Dach.
Psalm 102,8

➤ Male einen eigenen Luftballon. Was schreibst du hinein? Welches Gebet passt dazu?

Gott lässt mich nicht allein

T: Rolf Krenzer
M: Ludger Edelkötter

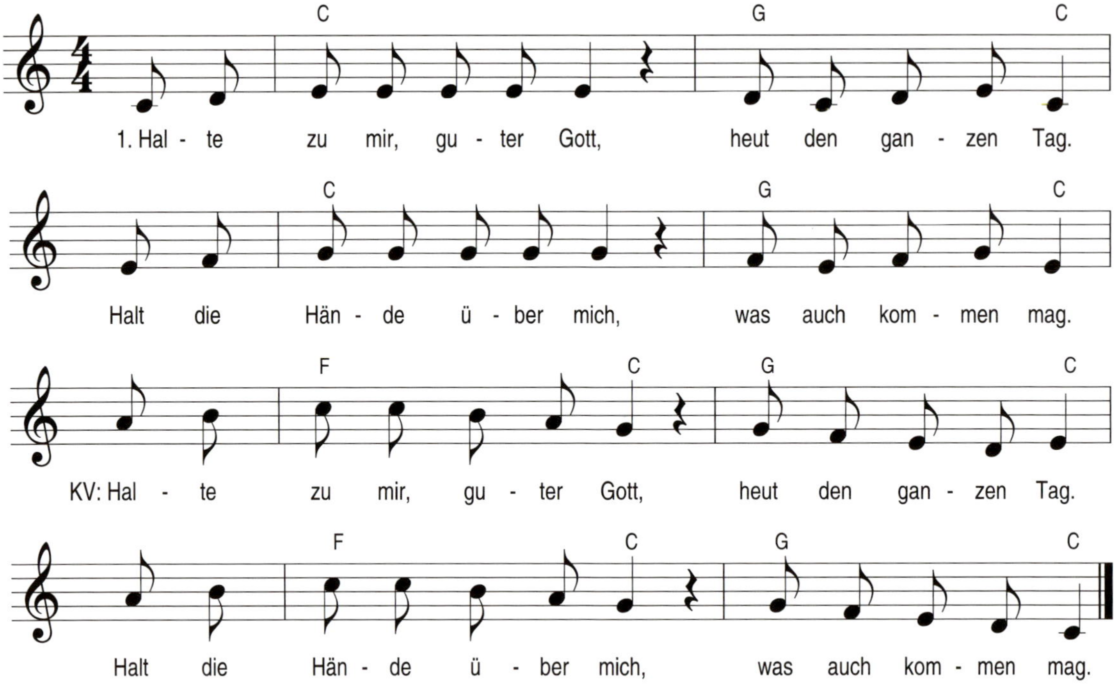

2. Du bist jederzeit bei mir. Wo ich geh und steh,
   spür ich, wenn ich leise bin, dich in meiner Näh.
3. Gibt es Ärger oder Streit und noch mehr Verdruss,
   weiß ich doch, du bist nicht weit, wenn ich weinen muss.
4. Meine Freude, meinen Dank, alles sag ich dir.
   Du hältst zu mir, guter Gott, spür ich tief in mir.

➤ Weinen und lachen,
gehen und stehen,
sich ärgern und sich freuen,
streiten und verzeihen:
Male ein Bild,
spiele eine Geschichte,
erzähle ...

➤ „Halte zu mir, guter Gott,
heut den ganzen Tag":
- am Morgen
- auf dem Schulweg

Wir feiern miteinander!
Schau nach auf Seite 82, 98 f., 112, 120 ff., 126.

2 Nach Gott fragen

Staunen und fragen

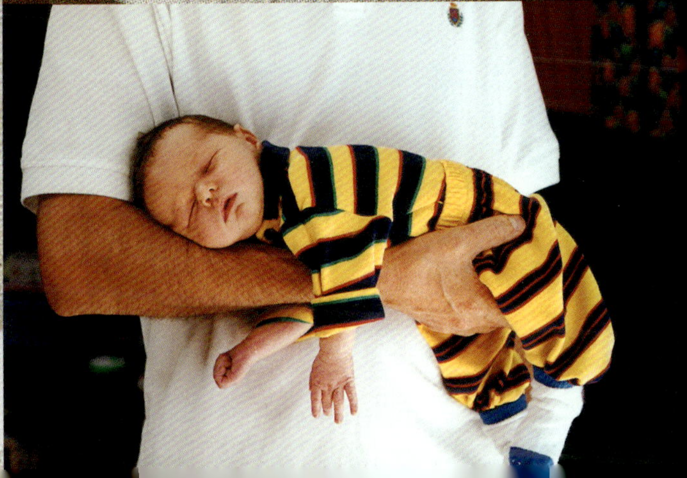

Kinder fragen nach Gott

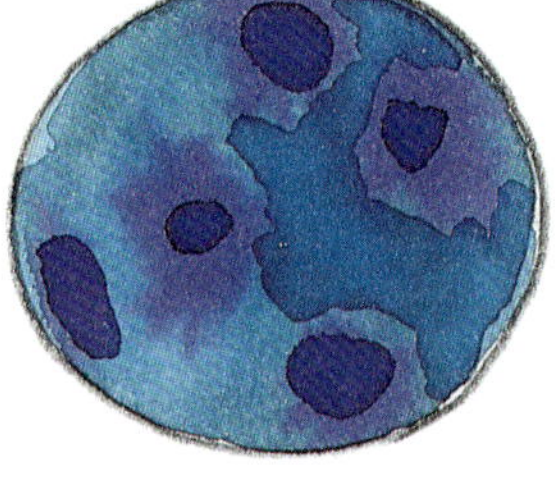

➤ Welche Fragen willst du Gott stellen?

Was wir nicht messen und nicht zählen können

Was wir zählen und messen können
Wie viele Kinder in unserer Klasse sind.
Wie viele Fenster unser Haus hat.
Wie schnell ein Flugzeug fliegt.
Wie tief das Meer ist.
Wie schwer ein Stein ist.
Wie lang eine Straße ist.
Wie hoch die Wolken sind.

Was wir nicht zählen und messen können
Wie viel Liebe in einem Kuss ist,
den die Mutter dem Kinde gibt.
Wie viel Angst einer hat, wenn er allein ist.
Was ein gutes Wort wiegt.
Wie teuer ein guter Freund ist.
Wie schwer es ist, wenn uns keiner mag.
Wie tief eine Lüge uns verletzen kann.
Wie groß eine Freude sein kann.

Wonach wir fragen, das ist ein Geheimnis.
Wir können es nicht messen mit einem Metermaß.
Wir können es nicht wiegen mit einer Waage.
Wir können es nicht ausrechnen mit einer Rechenmaschine.

Günther Weber

Sich Gott vorstellen

Judith

Gott ist
wie eine große Wolke,
deshalb kann man
ihn nicht sehen,
er ist da
und auch nicht da.

Niklas

Gott, du großer Gott,
du bist immer da, auch für mich.
Ob ich sitze oder gehe,
ob ich laufe oder still bin,
ob ich gesund oder krank bin,
ob ich fröhlich oder traurig bin,
du bist da.
Lass mich immer
in deiner Nähe sein.

Lisa

„Wenn ich viel bete,
werden meine Wünsche erfüllt."

„... da weiß man halt nicht,
wie Gott wirklich aussieht,
und dann kann man den
sich ganz verschieden
vorstellen ..."

Ina

Felix

Regina

„Von allen Seiten
umgibst du mich,
du legst deine Hand auf mich."

Ps 139,5

Bettina

➤ Und wie sind deine Vorstellungen
von Gott?

Wie Menschen von Gott reden

Gott ist für mich wie eine Mutter, die ihr Kind tröstet - wie ein liebevoller Vater - wie die Kraft der Sonne - wie der weite Himmel - wie eine sichere Burg - wie die Größe des Weltalls - wie Sonnenstrahlen nach der dunklen Nacht - wie eine Hand, die mich beschützt - wie eine Lehrerin, die mich mag - wie das Rauschen des Meeres - wie die Luft, die mich umgibt - wie ...

➤ Male, was dir besonders gut gefällt.

Wie wunderbar sind deine Werke!

Du hast uns deine Welt geschenkt

T: Rolf Krenzer
M: Detlev Jöcker
Menschenkinder Verlag, Münster

Herr, mein Gott, wie groß bist du!
Du lässt die Quellen sprudeln!
Allen Tieren des Feldes spenden sie Trank.
An den Ufern wohnen die Vögel des Himmels.
Aus den Zweigen erklingt ihr Gesang.
Herr, wie zahlreich sind deine Werke!
Mit Weisheit hast du sie alle gemacht.
Die Erde ist voll von deinen Geschöpfen.

Nach Ps 104

➤ Schreibe das Loblied weiter!

Wie wertvoll hast du mich erschaffen!

Ich staune über mich ...

wie mein Atem kommt und geht,
auch wenn ich schlafe ...

was meine Hände, was meine Füße alles können ...

was meine Nase und mein Mund,
was meine Ohren und meine Augen alles können ...

wie meine Haut die warme Sonne spürt,
die Regentropfen, die Kälte, das Streicheln, den Schmerz ...

wie ich spüre, was innen und was außen ist ...

wie ich meinen Puls und meinen Herzschlag fühlen kann ...

was ich für Träume habe ...

was ich alles denken kann ...

Ich bin
in deinen Augen
teuer und wertvoll!

Jes 43,4

Wie Kinder mit Gott reden

Ich kann singen, tanzen, fragen,
meine Not vor dich hintragen.
Ich kann springen und mich freu'n,
ich kann froh und traurig sein.

Guter Gott, du hörst mir zu.
Und so bitte ich dich: Du,
lass auf meinem Leben
ruhen deinen Segen.
Amen.

➤ Wie kannst du mit Gott reden?

3 Mit Gott auf dem Weg

Wie geht es weiter?

➤ Erzähle zu den einzelnen Bildern eine Geschichte.

Der Herr ist mein Hirte.

Ich fürchte kein Unheil.
Du bist bei mir.
Nichts wird mir fehlen.

Muss ich auch wandern in finsterer Schlucht ...

Ich fürchte kein Unheil.
Du bist bei mir.
Nichts wird mir fehlen.

aus Psalm 23

Muss ich auch ...

Ich fürchte kein Unheil.
Du bist bei mir.
Nichts wird mir fehlen.

➤ Ich kann beten, wenn ich traurig bin.
Ich kann beten, wenn ich allein bin.
Ich kann beten, wenn ich ...

Auf Gott vertrauen

Abraham war ein Nomade, der mit seiner Frau Sara und seiner ganzen Verwandtschaft in Haran lebte.
Eines Tages hörte Abraham die Stimme Gottes:

„Zieh fort aus deinem Land.
Zieh fort von deinen Verwandten.
Zieh in ein Land, das ich dir zeigen werde.
Ich werde dich zum Vater eines großen Volkes machen.
Ich werde dich segnen.
Ich werde die Menschen segnen,
die dich segnen.
Du wirst für sie ein Segen sein."

Abraham machte sich auf den Weg. Er ging fort aus Haran.
Mit ihm zogen seine Frau, sein Neffe Lot, seine Knechte, seine Mägde und seine Herden. Sie kamen in das Land Kanaan.
Abraham hörte wieder die Stimme Gottes:

„Deine Nachkommen werden in diesem Land leben."

Abraham baute einen Altar und betete zu Gott.

➤ Am Abend vor seinem Auszug gehen Abraham viele Gedanken durch den Kopf. Er spricht mit seiner Frau Sara.

Abraham

T: Diethard Zils/Hanna Lam
M: Wim ter Burg

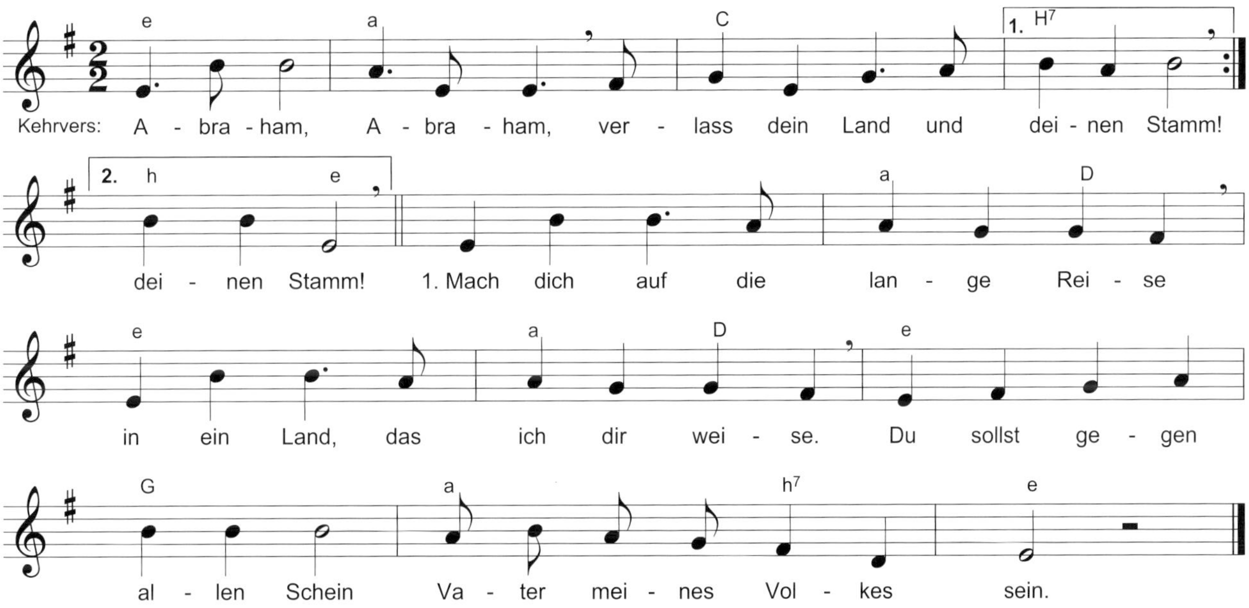

2. Abraham, Abraham, verlass dein Land und deinen Stamm.
Ich versprech dir meinen Segen, bin mit dir auf allen Wegen,
alle Menschen, groß und klein, solln in dir gesegnet sein.

3. Abraham, Abraham, verlässt sein Land und seinen Stamm.
Auf das Wort hin will er's wagen, ohne Klagen, ohne Fragen
steht er auf und zieht er fort, Richtung zeigt ihm Gottes Wort.

Gott hält sein Versprechen

Abraham saß am Eingang des Zeltes bei den Eichen von Mamre.
Es war Mittag und sehr heiß.
Da sah er drei Männer, lief ihnen entgegen und sagte:
„Geht nicht an mir vorüber. Ich lasse euch Wasser holen, dann könnt ihr eure Füße waschen.
Ruht euch im Schatten des Baumes aus.
Ich will etwas Brot holen, ihr könnt euch stärken und dann weiterziehen."

Abraham lief zu seiner Frau Sara, die alles besorgte.
Und Abraham bediente die Gäste.

Da sagte einer der drei Männer: „Gott wird sein Versprechen einlösen.
In einem Jahr komme ich wieder. Dann wird deine Frau Sara einen Sohn haben."
Abraham und Sara hatten keine Kinder.
Sara hörte heimlich zu. Sie lachte und dachte:
Ich bin doch zu alt, um ein Kind zu bekommen.

Dann erhoben sich die Männer und Abraham begleitete sie.

Nach einem Jahr bekam Sara einen Sohn.
Sie nannte ihn Isaak.

- Spielt die Geschichte.
- Abraham hat Gott vertraut und seinem Versprechen geglaubt; er ist aus seiner Heimat fortgezogen. Überlegt, wie Gott sein Versprechen hält.

Abrah

Josef und seine Brüder

T/M: Robert Haas

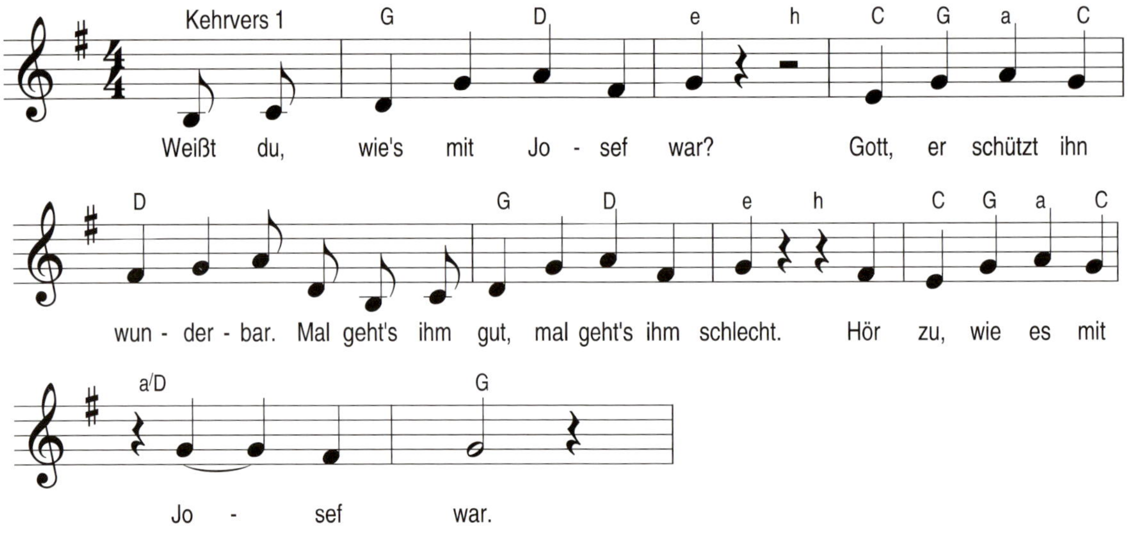

Im Land Kanaan lebte Josef mit seinem Vater Jakob und mit seinen Brüdern.
Der Vater liebte Josef besonders. Er schenkte ihm ein schönes buntes Gewand, wie es nur Prinzen tragen. Die Brüder Josefs merkten, dass der Vater Josef mehr liebte als sie. Deshalb hassten sie Josef und konnten nicht mehr freundlich zu ihm sein.
Josef erzählte ihnen auch seine Träume: Sonne, Mond und elf Sterne verneigten sich vor ihm. Da hassten sie ihn noch mehr.

➤ Male zu den einzelnen Erzählungen der Josefs-Geschichte ein Bild.

für Thomas Mann
Joseph

Josef kommt nach Ägypten

Eines Tages besuchte Josef seine Brüder. Sie hüteten ihre Tiere auf der Weide. Da sagten sie zueinander: „Da kommt er, dieser Träumer! Wir wollen ihn umbringen." Sie zogen ihm sein Gewand aus und warfen ihn in eine Zisterne. Als eine Karawane vorbeikam, verkauften sie ihn. So kam er nach Ägypten.

Das Gewand Josefs beschmierten die Brüder mit dem Blut einer Ziege und ließen es zu ihrem Vater bringen. Da schrie der Vater: „Das Gewand meines Sohnes! Ein wildes Tier hat ihn gefressen!" Niemand mehr konnte ihn trösten.

Die Kaufleute verkauften Josef in Ägypten an Potifar. Er wurde sein Sklave. Was Josef auch arbeitete, alles gelang ihm. Darum vertraute Potifar ihm sein Haus und seine Felder an. Doch eines Tages wurde er ungerecht beschuldigt. Da ließ ihn Potifar voll Zorn ins Gefängnis werfen.

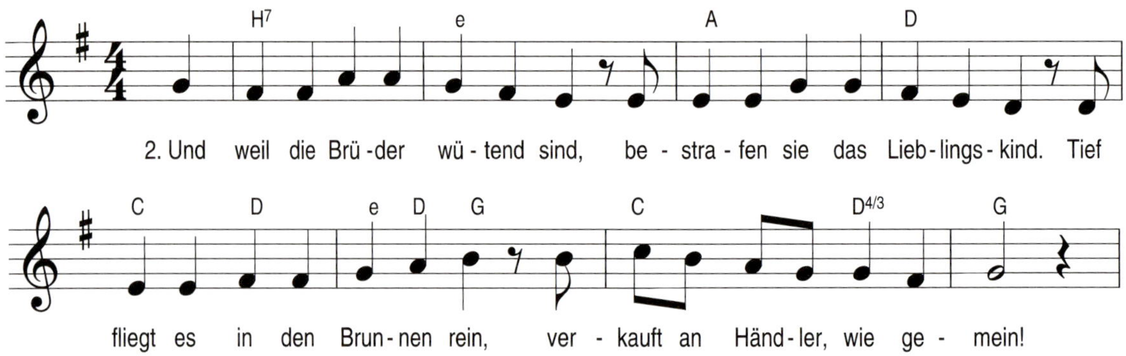

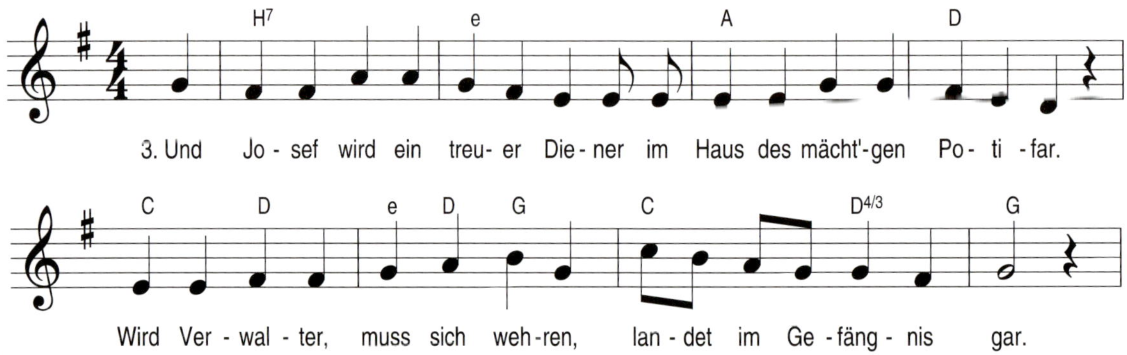

Josef der Träumer

Josef wird Stellvertreter des Pharao

Auch im Gefängnis war Gott mit Josef. Alles, was Josef arbeitete: Gott ließ es gelingen. Der Gefängnisleiter vertraute ihm alle Gefangenen an. Josef legte auch die Träume der Gefangenen aus. So wurde er als Traumdeuter bekannt. Eines Tages hatte der Pharao, der König von Ägypten, einen Traum:

Sieben schöne, fette Kühe
steigen aus dem grünen Nil.
Sieben klapperdürre Kühe
fressen sie mit Stumpf und Stiel.
Nur noch die magern stehn im Gras.
Pharao, was bedeutet das?

Sieben volle, goldne Ähren
schwanken hin und her im Wind.
Sieben klapperdürre Ähren
fressen die dicken Ähren geschwind.
Nur noch die magern sind zu sehn.
Pharao, Pharao, was wird geschehn?

Die Wahrsager und Weisen des Landes konnten die Träume nicht deuten. Da erinnerte sich ein Diener an den Traumdeuter Josef. Schnell ließ der Pharao Josef aus dem Gefängnis holen. Und Josef sagte: „Mit Gottes Hilfe will ich dem Pharao die Träume deuten. Sieben Jahre wird großer Überfluss im Lande sein. Dann aber werden sieben Jahre kommen, in denen große Hungersnot herrscht." Der Pharao war vom Geist Gottes beeindruckt, den er in Josefs Worten erkannte. Er machte ihn zum zweiten Mann über ganz Ägypten. In den sieben Jahren, die reiche Ernte brachten, sammelte Josef das Getreide. In den sieben Jahren der Not teilte er das Getreide an die hungernden Menschen aus.

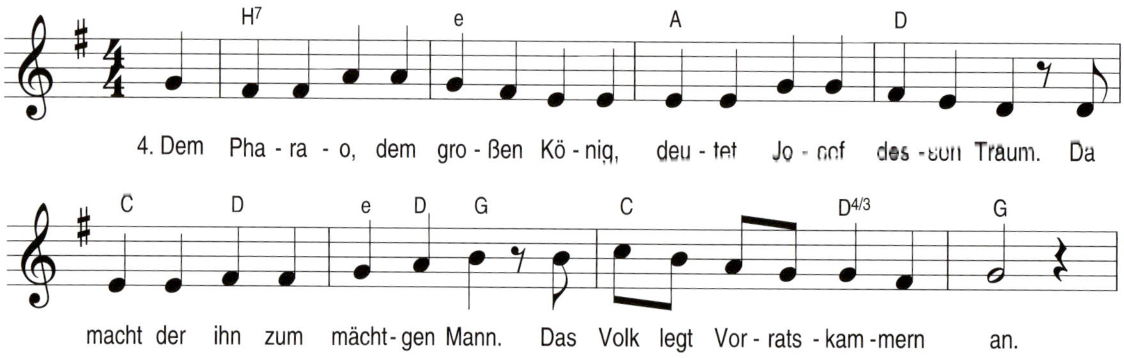

Josefs Brüder kommen nach Ägypten

Auch in Kanaan herrschte große Hungersnot. Jakob sagte zu seinen Söhnen: „Geht nach Ägypten und kauft Getreide, damit wir nicht verhungern müssen." So kamen die Brüder zu Josef und warfen sich vor ihm nieder. Josef erkannte seine Brüder, sie aber erkannten ihn nicht. Er sagte zu ihnen: „Spione seid ihr!" Und er warf sie ins Gefängnis. Nach drei Tagen ließ er sie wieder frei und sie kehrten mit dem Getreide heim. Als die Hungersnot immer größer wurde, zogen die Brüder Josefs ein zweites Mal nach Ägypten. Da lud er sie zu einem Festessen ein. Josef gab sich zu erkennen, weinte vor Freude und sagte: „Ich bin Josef, euer Bruder, den ihr nach Ägypten verkauft habt. Lebt mein Vater noch? Habt keine Angst! Um das Leben vieler Menschen zu retten, hat mich Gott hierher geschickt. Ihr habt mir Böses angetan, aber Gott hat alles zum Guten gewendet."

Josefs Geschichte – unsere Geschichte

- Lies die Sätze und wähle einen aus!
- Male dazu ein Bild oder schreibe eine Geschichte.
  Du kannst deine Geschichte auch spielen.

- ➤ Wo könnte dein Satz in der Josefs-Geschichte vorkommen? Erzähle diesen Teil der Josefs-Geschichte einer Mitschülerin oder einem Mitschüler.
- ➤ Legt ein Josefs-Buch an: Verwendet dazu eure gemalten Bilder.

Gottes guter Segen sei mit euch

T: Rolf Krenzer
M: Siegfried Fietz

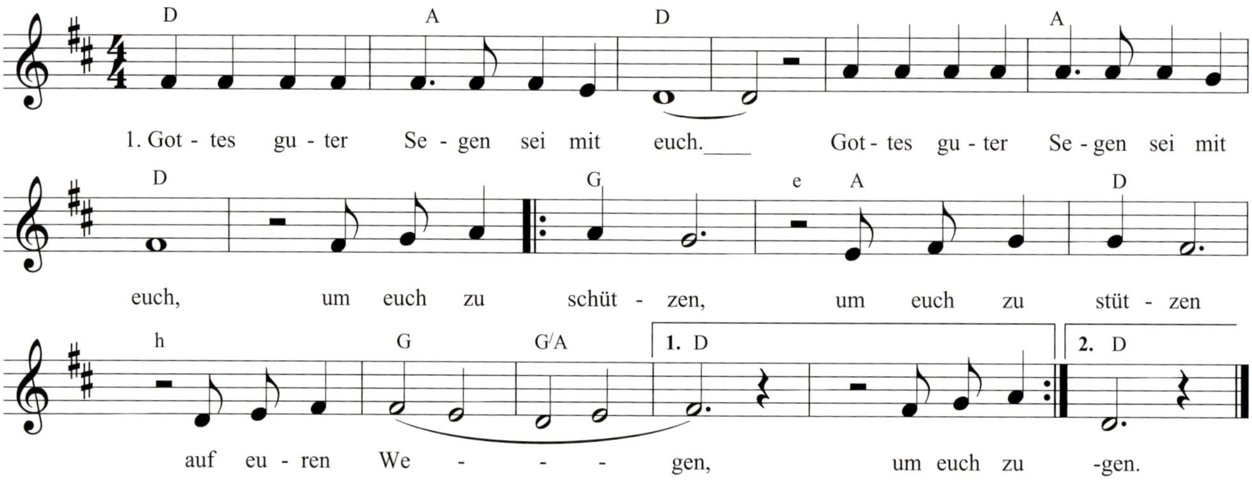

2. Gottes guter Segen sei vor euch.
Gottes guter Segen sei vor euch.
Mut um zu wagen,
nicht zu verzagen
auf allen Wegen.

3. Gottes guter Segen über euch.
Gottes guter Segen über euch.
Liebe und Treue
immer aufs Neue
auf euren Wegen.

4. Gottes guter Segen sei um euch.
Gottes guter Segen sei um euch.
Heute und morgen
seid ihr geborgen
auf allen Wegen.

5. Gottes guter Segen sei in euch.
Gottes guter Segen sei in euch.
Sucht mit dem Herzen,
leuchtet wie Kerzen
auf euren Wegen.

- Auch ihr könnt einander segnen.
Überlegt in der Klasse, auf welche Weise ihr euch segnen wollt.
Was wünscht ihr einander? Was soll euch Gott geben?
- Gott beschützt und bewahrt Abraham und Josef, er segnet sie.
Wann haben Abraham und Josef das erfahren?

4 Mit Jesus Gottes Liebe erfahren

Menschen sind von Jesus begeistert

T: Rolf Krenzer
M: Martin Göth

T/M: Detlev Jöcker

➤ Du bist da, wo Menschen ...
Singt gemeinsam neue Strophen!

Bartimäus kann wieder sehen

Blinder Bartimäus

T/M: Franz Kett

Bartimäus braucht Hilfe.
Jesus kommt in die Stadt.
Bartimäus schreit.
Jesus hört ihn. Er ruft ihn.
Jesus heilt Bartimäus.

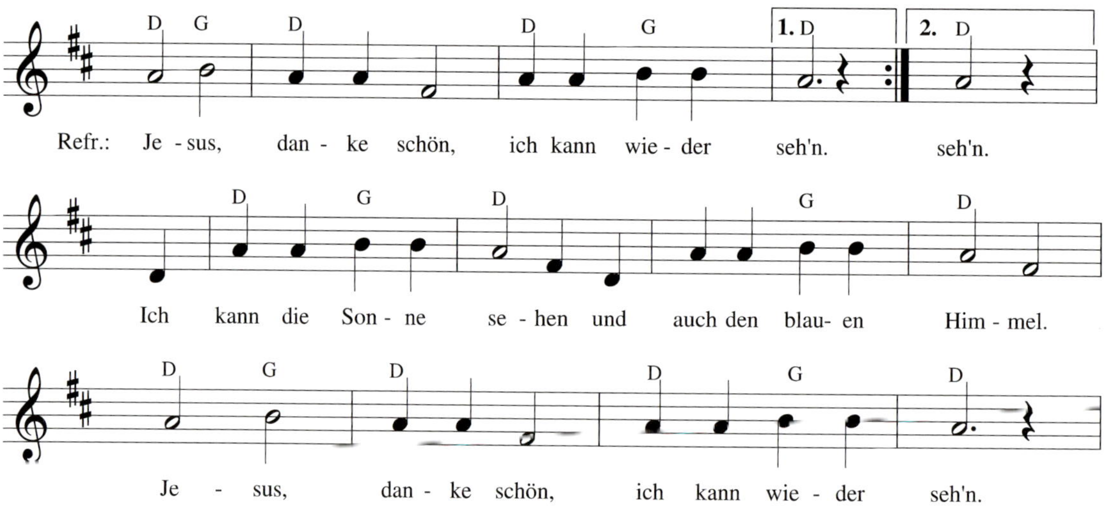

➤ Schau dir das Bild genau an! Ich sehe ... Ich denke ...

➤ Spiele die Geschichte. Du kannst dazu Instrumente verwenden.

M.S.M.
1973

Ein Gelähmter kann wieder gehen

Jesus kommt nach Kafarnaum. Er ist wieder zu Hause.
Sogleich versammeln sich viele Menschen bei ihm.
Nicht einmal vor seiner Tür ist noch Platz.
Jesus spricht zu ihnen von Gott.

Vier Männer kommen.
Sie tragen einen Gelähmten auf einer Bahre.
Sie wollen zu Jesus.
Aber niemand lässt sie durch.

Da decken sie einfach das Dach des Hauses ab.
Sie lassen den Gelähmten durch die Öffnung hinab.
Der Gelähmte liegt vor Jesus.

Jesus sieht ihren Glauben!
Und er sagt zu dem Gelähmten:
„Ich sage dir: Steh auf,
nimm deine Bahre
und geh nach Hause."

Der Gelähmte steht sofort auf,
nimmt seine Bahre und
geht vor den Augen der Zuhörer weg.

Da geraten alle außer sich.
Sie loben Gott und sagen:
„So etwas haben wir noch nicht gesehen!"

Nach Markus 2,1-12

➤ Jesus heilt Menschen an Leib und Seele. Viele Leute beginnen nachzudenken: Sie fragen …

➤ Einige fangen an zu verstehen, dass ...

➤ Was soll der Hirte tun?

Gott liebt die Menschen
wie eine gute Mutter ihre Kinder
und wie ein guter Vater seine Kinder.
Gott liebt die Menschen wie ...

Zum guten Vater beten

Vater unser im Himmel,
geheiligt werde dein Name.
Dein Reich komme.
Dein Wille geschehe
wie im Himmel so auf Erden.
Unser tägliches Brot gib uns heute
und vergib uns unsere Schuld,
wie auch wir vergeben unseren Schuldigern,
und führe uns nicht in Versuchung,
sondern erlöse uns von dem Bösen.
Denn dein ist das Reich
und die Kraft und die Herrlichkeit
in Ewigkeit.
Amen.

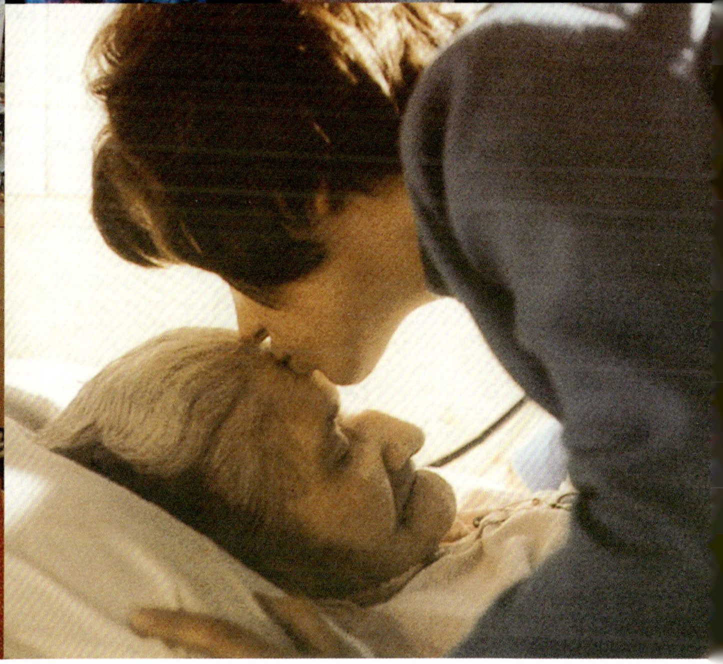

Unser tägliches Brot …

chléb לֶחֶם

PANIS

ψωμί

bukëa

रोटी

pan

Eine Familie in Venezuela

Tobias schreibt aus dem Krankenhaus:

Lieber Jochen!
Schon seit vier Wochen bin ich jetzt hier. Manchmal ist es sehr langweilig, dann möchte ich am liebsten ausreißen und zu euch nach Hause gehen! Aber der Arzt sagt, dass ich noch für mehrere Wochen hierbleiben muss. Die Ärzte sind sehr nett zu mir und ich bekomme manchmal sogar mein Lieblingsessen. Trotzdem sehne ich mich sehr danach, hier wieder herauszukommen. Die Schmerzen werden allmählich erträglich, aber vor den Spritzen habe ich immer noch Angst.
Du denkst, ich müsste wenigstens nicht in die Schule gehen. Da irrst du dich! Hier gibt es eine Krankenhausschule und sogar Hausaufgaben muss ich machen.
Ich warte sehr darauf, dass du mich besuchst und mir erzählst, was bei euch so los ist!

Dein Tobias

➤ Wie passen das Bild und der Brief zur Überschrift?

mkate chlěb ዳቦ pano

pain እንጀራ brood нан

T/M: Franz Kett

2. Klares Wasser für den Durst.
3. Kleider und auch warme Schuh.
4. Ein Zuhause und ein Bett.
5. Einen Menschen, der sie liebt.

Roland und Maria erzählen:
Bevor wir zu essen beginnen, beten wir zu Hause oft ein Tischgebet:

HERR!
Segne, was wir zu essen bekommen!
Segne, die uns das Essen zubereitet haben.
Segne alle, die jetzt am Tisch sitzen.

- Ich brauche vor allem ...
- Es ist schlimm, wenn mir ... fehlt!

ܠܚܡܐ pão პური хлеб LEIPÄ

ስት፡ kenyér mkate chlěb

Vergib uns ...

Was wir manchmal hören müssen:
Du gehst mir auf den Geist!
Ich kann dich nicht leiden.
Das zahl ich dir zurück!
Verschwinde!
Lass dich nicht mehr blicken!
Du bist gemein!
Mit dir mag ich nicht spielen.
Du bist mir viel zu blöd ...

- Hast du so etwas auch schon gehört?
- Es macht mich traurig, wenn ...

Was wir gerne hören:
Ich halte trotzdem zu dir.
Komm, du gehörst zu uns.
Bitte, sei wieder gut!
Ich bin dir nicht mehr böse.
Ich mag dich auf alle Fälle.

- Hast du so etwas auch schon gehört?
- Es tut gut, wenn ...

Was wir gerne spüren:
Eine Hand, die ...
Einen Arm, der ...
Ein freundliches Gesicht, das ...

Am Abend eines Tages

Das war heute schön ...

Das hat mir Freude gemacht ...

Darüber bin ich traurig ...

Das hat mich geärgert ...

Das ist mir schwer gefallen ...

Das tut mir Leid ...

Das will ich besser machen ...

Wir wollen gut sein zueinander

T/M: Gertrud Lorenz

5 Jesus kennen lernen

Jesus wird geboren

In jenen Tagen erließ Kaiser Augustus den Befehl, alle Bewohner des Reiches in Steuerlisten einzutragen. Da ging ein jeder in seine Stadt, um sich eintragen zu lassen.
So zog auch Josef von Nazaret in die Stadt Betlehem.
Er wollte sich mit Maria eintragen lassen.
Als sie dort waren, gebar Maria ihren Sohn. Sie wickelte ihn in Windeln und legte ihn in eine Krippe.
In der Herberge war kein Platz für sie.

In jener Gegend lagerten Hirten auf freiem Feld. Sie hielten Nachtwache bei ihrer Herde. Da trat der Engel des Herrn zu ihnen.
Sie fürchteten sich sehr. Der Engel aber sagte zu ihnen:
„Fürchtet euch nicht. Ich verkünde euch eine große Freude:
Heute ist euch der Retter geboren.
Er ist der Messias, der Herr."
Und plötzlich war bei dem Engel eine große himmlische Schar.
Sie lobte Gott und sprach:
„Ehre sei Gott in der Höhe
und Friede auf Erden den Menschen seiner Gnade."

Nach Lukas 2,1-14

➤ Die Engel verkünden Jesus als den Retter und Messias, der den Menschen Gutes tut. Sucht im Religionsbuch, wie Jesus den Menschen hilft.

Wo Jesus gelebt hat

Jesus und Levi

➤ Was wird Jesus tun?

Was Menschen über Jesus denken

So kann das nicht weiter-gehen!
Wir müssen etwas gegen ihn unternehmen!
Er ist eine Gefahr!
Warum streiten die so?
Wie kann er nur ...
Er passt nicht zu uns.
Es ist verboten ...

Die letzten Tage Jesu

SPINIS CONTEXTAM PONVNT TIBI XPE CORONĀ · CONPULSUS VALDE FIT LIGNI PORTITOR ISTE
SIMON
MVNDI SALVATOR MORITVR HIC VT MALEFACTOR · QVI SOLVS IVSTVS EST CV̄ REPBIS CRVCIFIXVS ·
IHS NAZARENVS REX IVDAEOR
GRANVM DEPOSITV̄ DE LIGNO MORTIFICATVM · OBSEQVIIS HORV̄ SEPELITVR FRVCTIFICANDV̄ ·
IOSEPH
NICHODEMVS

Jesus lebt

Drei Frauen gehen zum Grab.
Sie haben kostbare Salben bei sich.
Am Grab sehen sie: Der Stein ist weggewälzt.
Zwei Männer in leuchtenden Gewändern
stehen vor ihnen und sagen:

> Ihr sucht Jesus.
> Er ist nicht hier.
> Er ist auferstanden.
> Er lebt!

Da verlassen die Frauen das Grab.
Sie laufen zu den Freunden Jesu
und erzählen ihnen voll Freude:

> Jesus lebt!
> Er ist auferstanden!

Nach Lukas 24,1-12

➤ Die Menschen von Seite 76/77 hören: „Jesus lebt!"
Was werden sie sagen?

Ein Osterlied

Für Jesus will ich singen

T: Rolf Krenzer
M: Martin Göth

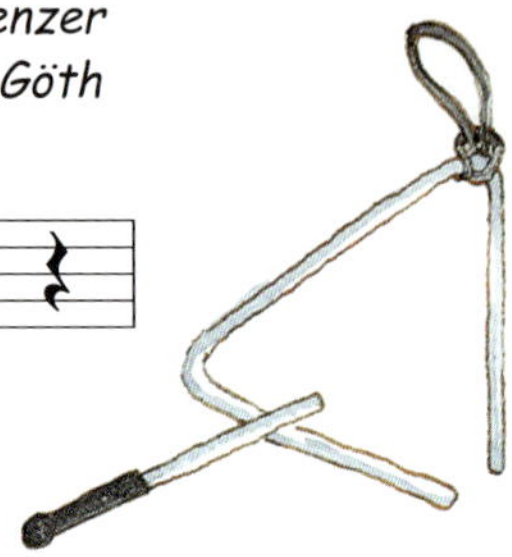

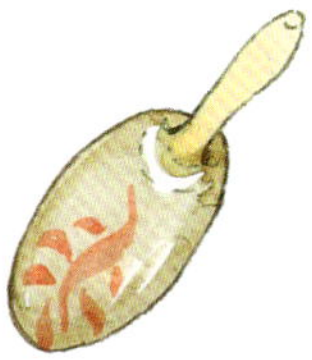

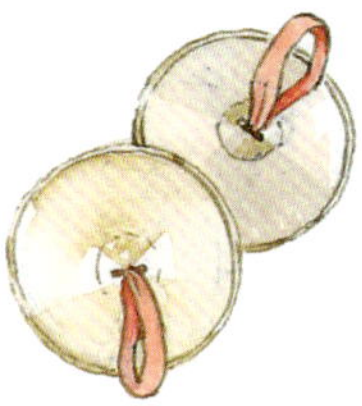

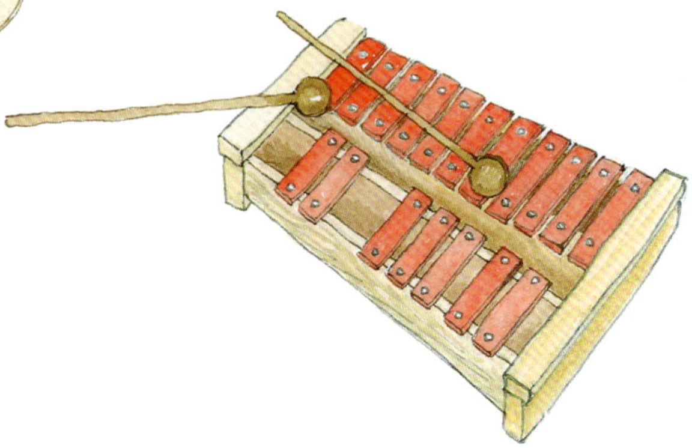

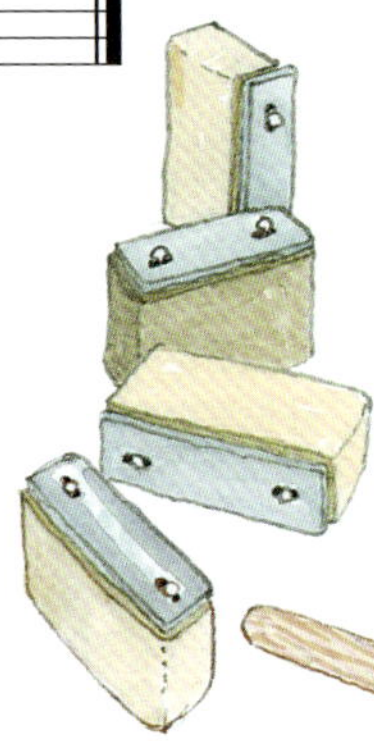

➤ Dichte weiter: „Für Jesus …", „Von Jesus will …"

6 Miteinander leben – füreinander da sein

Sehen und handeln

➤ Erzähle zu jedem Bild eine Geschichte.

Ich war traurig,
du hast mich getröstet.
Ich war krank,
du hast mich besucht.
Ich war wütend,
du hast mich beruhigt.
Ich war böse zu dir,
du hast mir verziehen.
Ich hatte Angst,
du hast mir Mut gemacht.
Ich ...

Nach Mt 25,35-40

➤ Welches Beispiel hast du selbst schon erlebt? Wer hat dir dabei geholfen? Spiele oder male dieses Erlebnis.

Sankt Martin

T/M: traditionell

2. Im Schnee saß, im Schnee saß,
im Schnee, da saß ein armer Mann,
hatt Kleider nicht, hatt Lumpen an:
„O, helft mir doch in meiner Not,
sonst ist der bittre Frost mein Tod!"

3. Sankt Martin, Sankt Martin,
Sankt Martin zieht die Zügel an,
sein Ross steht still beim armen Mann.
Sankt Martin mit dem Schwerte teilt
den warmen Mantel unverweilt.

4. Sankt Martin, Sankt Martin,
Sankt Martin gibt den halben still,
der Bettler rasch ihm danken will.
Sankt Martin aber ritt in Eil
hinweg mit seinem Mantelteil.

➤ Der Bettler erzählt: „Ich ..."

Nikolaus

In Myra lebt ein Mann mit seinen Kindern.
Die Mutter ist gestorben.
Der Vater ist arbeitslos.
Die Not ist so groß,
dass die Kinder am Abend hungrig zu Bett gehen müssen.

Eines Morgens steht ein großer Sack vor ihrer Tür!
Im Sack sind Mehl und Brot.
Da ist die Freude groß!
Jetzt brauchen sie nicht mehr zu hungern!

Am nächsten Morgen steht wieder ein Sack vor ihrer Tür.
Im Sack liegen warme Kleider.
Jetzt brauchen sie nicht mehr frieren!

Der Vater sagt zu seinen Kindern:
„Heute Nacht wollen wir wach bleiben
und sehen, wer uns da so reich beschenkt!"
Den Kindern fielen vor Müdigkeit die Augen zu.
Aber der Vater bleibt wach.

Spät in der Nacht hört er ein Geräusch.
Er sieht, wie mit schnellen Schritten ein Mann davongeht.
Der Vater läuft schnell hinter ihm her.
Er erkennt den Bischof Nikolaus.
„Danke, danke für alles, was du für uns getan hast,
Bischof Nikolaus!", sagt er.

Als er heimkommt, steht wieder ein Sack vor der Tür.
Im Sack liegen Schuhe für die Kinder.
Jetzt brauchen sie nicht mehr barfuß zu gehen.

Sie können aber nicht in die Schuhe schlüpfen,
denn in den Schuhen stecken Nüsse, Äpfel und Plätzchen!
Wie freuen sich da die Kinder!

Nach Rolf Krenzer

➤ Der Vater ist traurig. Er muss seine drei Töchter verkaufen.
Bischof Nikolaus erfährt es und ...
Erzähle die Geschichte weiter.

Die Not der Armen sehen

Elisabeth

Elisabeth ist ein Königskind.
Sie muss mit vier Jahren ihre Eltern verlassen.
Sie zieht in ein fremdes Land auf die Wartburg.
Mit 14 Jahren heiratet Elisabeth den Grafen Ludwig. Sie ist jetzt eine reiche Gräfin.
Sie trägt schöne Kleider.
Sie feiert prächtige Feste auf der Burg.
Elisabeth sieht die Armen in der Stadt:

- kranke Menschen, die keinen Arzt bezahlen können,
- Kinder, die hungern,
- Männer und Frauen, die in der Kälte frieren,
- Menschen mit großen Schmerzen.

Elisabeth trägt in ihrem Korb Brot, Tee, Arznei und Verbände.
So geht sie zu den Armen.
Sie verkauft sogar ihren Schmuck, um den Armen und Kranken zu helfen.

Elisabeth erfährt großes Leid:
Ihr geliebter Mann stirbt auf einer Reise, weit weg von ihr.
Sie trauert und weint um ihren Mann.

Mit ihren Kindern verlässt sie die Burg und das reiche Leben.
Sie zieht ein einfaches Kleid an.
Sie lebt mit den Kranken und Armen und versorgt sie.
Sie sagt: „Wie Jesus will ich bei den Armen sein
und sie lieben, wie Jesus sie geliebt hat."

➤ Elisabeth sieht die Not der Menschen.
Elisabeth erinnert sich, wie Jesus Menschen geholfen hat.
Sie handelt!

Die Armut wählen

Franziskus

Franz von Assisi ist ein junger Mann.
Er ist sehr reich,
er hat viele Freunde,
er feiert mit ihnen große Feste,
er liebt Musik und Tanz,
er will ein Ritter werden.

Franz von Assisi wird krank.
Er denkt über sein Leben nach.
Er freut sich nicht mehr über Feste, Musik und Tanz.
Er will auch kein Ritter mehr werden.

Franz von Assisi entdeckt Jesus von Nazaret.
Er liest in der Bibel:
„Steckt nicht Gold und Silber in eure Taschen!
Geht zu den Menschen und erzählt ihnen von Gott!"

Franz von Assisi sagt:
„Das ist es, das will ich tun!"
Er fängt ein neues Leben an.
Er lebt so arm wie ein Bettler.
Er will Jesus allein dienen.

➤ Franziskus verzichtet – Franziskus gewinnt.

Franziskus gibt dem Vater sein Geld und seine Kleider zurück.

➤ Zeichne den Umriss des Bildes in dein Heft.
In die Mitte schreibe die Buchstaben: I C H.
In die obere Hälfte male eine Geschichte von Elisabeth oder Martin oder Nikolaus. In die untere Hälfte male, was deine Augen oder Ohren, Hände oder Füße Gutes tun können.

7 Leben und feiern mit der Kirche

Wenn ein Kind geboren wird ...

Julias Mutter ist schwanger:
Julia fragt...

Das Baby ist da:
Mama und Papa erzählen ...

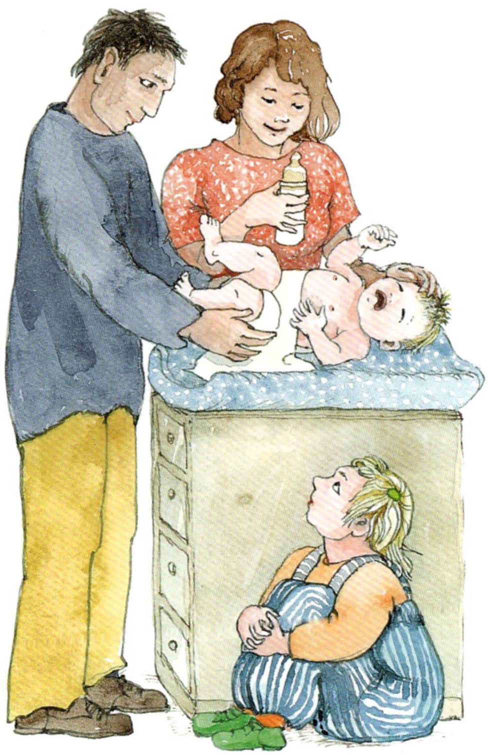

In der Familie ist nun einiges anders.

Relix: „Ich hätte so gerne ein Geschwisterchen!"

Kinder-Begrüßungs-Rap

Hallo Kind, du bist da! Alles klar? Wunderbar!
Hallo Kind, komm herein! Bei uns wirst du nun sein.
Hallo Kind, du bist hier! Ich hab dich lieb, spiel mit dir.
Du bist die Sensation! Ahnte ich so was schon?
Du bist da! Alles klar! Wunderbar!

Freunde und Verwandte kommen zu Besuch.
Sie wollen Michael sehen.
Sie wünschen Michael alles Gute.
Sie gratulieren den Eltern.
Sie bringen Geschenke mit.

- Was wünschen die Freunde und Verwandten dem kleinen Michael?
- Was wünschen sie den Eltern?
- Was wünschen sie der Julia?

... bekommt es einen Namen

Eine eigenartige Familie

Kennst du die Geschichte von Herrn und Frau Leer? Sie hatten zehn Söhne, und jeder hieß Per. Und für Herrn und Frau Leer war das manchmal sehr schwer. Denn wenn sie riefen: „Per, komm mal her", dann kam da nicht nur einer gerannt, dann stürmten gleich alle zehn übers Land. Ach, hätten die Eltern, als die Kinder geboren, alle anders genannt: einen Fuzzi van Doren, Hum-Bug den Nächsten, einen anderen Jim, Gummi-Tarzan einen oder dann Tim, noch einen Flummi, den anderen Knaxi, einen jüngeren etwa Knuddel-Di-Braxi, einen von ihnen auch Rotzi-Nas-Dax, den kleinsten Klein-Plozzi oder Knatter-Max. Doch sie taten es nicht, wie du nun weißt, und so kam es, dass jeder Per Leer jetzt heißt.

Du hast einen Vornamen, der fest zu dir gehört. So rufen dich deine Mutter, dein Vater und alle, die dich kennen.

➤ Spiele mit deinem Vornamen:
sprich ihn von hinten nach vorne,
gib deinem Namen eine Melodie ...
Verziere deinen Namen.

Ich rufe dich bei deinem Namen.

Jesaja 43,1

Kann denn eine Mutter ihr Kind vergessen? Selbst wenn sie es vergessen würde: Ich vergesse dich nicht.

Jesaja 49,15

Schau, ich habe dich in meine Hand geschrieben.

Jesaja 49,16

Freut euch darüber, dass eure Namen bei Gott im Himmel aufgeschrieben sind.

Lukas 10,20

➤ Schreibe deinen Vornamen auf eine Karte.
Wähle einen Satz aus, den du zu deinem Namen schreiben willst.
Verziere die Karte.
Suche für deine Karte einen Ort, an dem sie stehen soll.
Du kannst sie auch in dein Ich-Buch kleben. Schau nach S. 127.

➤ Erkundige dich, wann du Namenstag hast!

➤ Gestaltet für eure Klasse einen Namenstags-Kalender.

... wird es getauft

- Lass dir von deiner Taufe erzählen.
- Bringe Bilder von deiner Taufe mit.

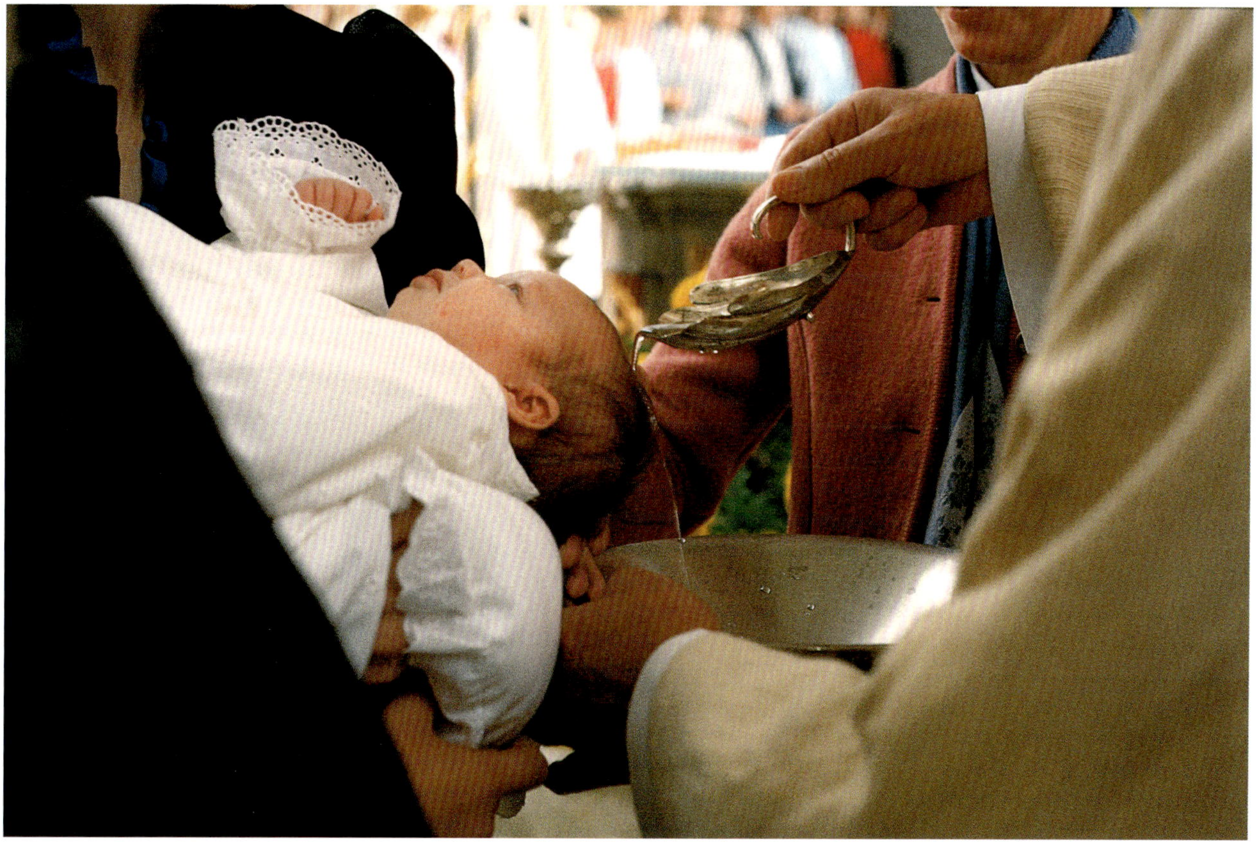

„Ich taufe dich im Namen des Vaters und des Sohnes
und des Heiligen Geistes."

Ein kleines Kind, du großer Gott, kommt in dein Haus.
Herr, nimm es auf bei dir.
Es braucht die Kraft, du großer Gott, um weit zu gehen.
Herr, nimm es auf bei dir.
Es braucht das Licht, du großer Gott, um dich zu finden.
Herr, nimm es auf bei dir.
Wir alle hier, du großer Gott, wir brauchen dich.
Herr, nimm uns auf bei dir.

Wasser ...

Wasser ist kostbar.
Wasser schenkt Leben.
Wasser ...

Kleid und Kerze ...

- Menschen tragen verschiedene Kleider.
  Was sagt euch das Taufkleid?
- Auf den Seiten 100 und 101 entdeckt ihr weitere Zeichen. Versucht sie zu deuten.

➤ Lass die einzelnen Kerzen erzählen:
Ich bin die Kerze auf der Festtafel.
Ich bin die Kerze am Christbaum.
Ich bin die Taufkerze.

Zur Gemeinde gehören

Liedruf, mündlich überliefert

Kinderseite

Pfarrbrief St. Martin

Kinderchor:
Mittwoch, 16 Uhr, im Pfarrheim.
Wir proben für das Pfarrfest!

Ministrantengruppe und Ministrantinnengruppe:
Freitag, 16 Uhr, im Pfarrheim.

Familiengottesdienst:
Sonntag, 10.30 Uhr, mit eigener Kinderpredigt. Bringt eure Lieblingsspielsachen mit.

Pfarrbücherei:
Die Pfarrbücherei ist nach dem Kindergottesdienst geöffnet.
Wir haben viele neue Kinderbücher!

Achtung:
In der ersten Ferienwoche gibt es wieder eine **Kinderbibelwoche**.
Unser Thema dieses Jahr:
Mit Noach in der Arche!
Treffpunkt: Montag, 10 Uhr, vor dem Pfarrheim.

➤ Erkundige dich, wann in deiner Gemeinde Kindergottesdienste gefeiert werden. Gibt es auch Gruppenstunden für Kinder?

➤ Stell dir vor, ihr könntet eine Kinderkirche so einrichten, dass Kinder gerne hingehen. Was gehört alles dazu?

Kinder erforschen ihre Kirche

- Du entdeckst:
  Altar
  Kreuz
  Taufbecken
  Weihwasserbecken
  Osterkerze
  Woran erinnern sie dich?

- Schau dich genau um!
  Was fällt dir auf?
  Was gefällt dir am besten?

- Schreibe den Namen
  deiner Pfarrkirche auf!

- Du findest Bilder
  und Figuren
  von Heiligen.
  Erfrage ihre Namen.
  Manche halten etwas
  in der Hand.
  Zeichne es!
  Lass dir die
  Zeichen erklären.

- Wo würdest du beim Gottesdienst
  am liebsten stehen oder sitzen?
  Stelle auf diesen Platz dein Namensschild!

8 Ein Jahr mit der Kirche

Warten im Advent

Tim war beim Schwimmen.
Tante Lisa wollte ihn abholen.
Alle sind schon weg.
Nur Tim steht noch da
vor der Schwimmhalle und wartet.

Mama will noch schnell etwas einkaufen.
Uta bleibt zu Hause.
Mama braucht länger als erwartet.
Es wird langsam dunkel.

Nachher wird Onkel Peter
zu Besuch kommen.
Er kann immer so spannende
Geschichten erzählen.
Evi freut sich sehr.

T: Rolf Krenzer
M: Peter Janssens
Peter Janssens Musikverlag, Telgte

Das Licht einer Kerze

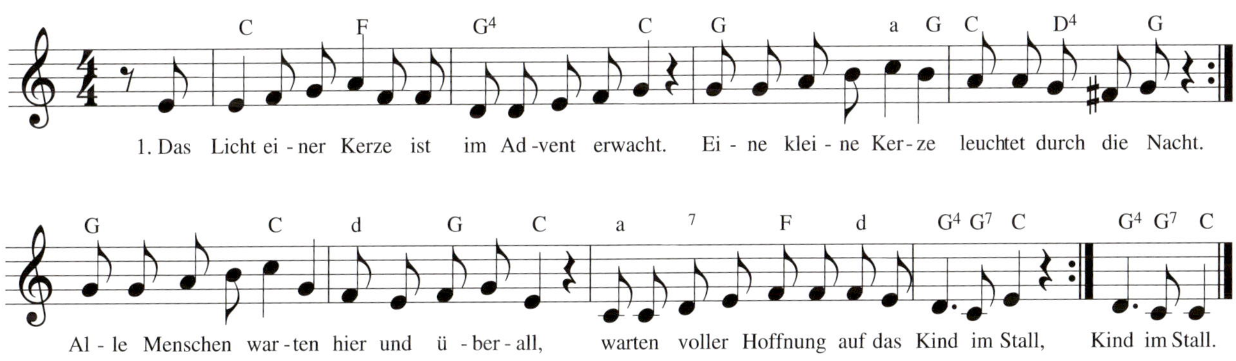

Wir feiern Weihnachten

Jesus ist geboren
in Betlehem und überall.
Den Freund der Menschen
sehet ihr in einem armen Stall.

Das Kind wird euer Bruder sein,
wird euer Leben teilen.
Das Kind wird euer Friede sein,
wird euch aus Liebe heilen.

F.K. Barth / P. Horst / G. Gerhard

Wie feierst du?

Ich steh an deiner Krippe hier.
Ich sehe dich mit Freuden an.

Paul Gerhardt, 1653

Der Stern zeigt den Weg

Die Weisen folgen dem Stern.

Sie finden das Kind.

Sie bringen Geschenke.

Wir folgen den Weisen.

Gold
ist wertvoll.

Weihrauch
steigt
zum Himmel.

Myrre
heilt.

Die Sternsinger
ziehen von Haus zu Haus.
Sie sagen:
Jesus, segne dieses Haus!
Sie singen.
Sie sammeln für Kinder in Not.

Sich auf Ostern vorbereiten

In vielen Kirchen hängt in der Fastenzeit ein Hungertuch.
Die einzelnen Bilder erinnern an Jesus-Geschichten.

➤ Auch ihr könnt ein Hungertuch gestalten:
Überlege, welche Geschichte von Jesus du malen willst!
Fügt eure Jesus-Bilder zu einem Hungertuch zusammen!
Sucht in der Schule einen Platz, wo ihr es aufhängen könnt!

So hat eine zweite Klasse die Station
„Jesus ist auferstanden!" gestaltet.

- Ihr könnt mit euren Bildern auch einen Jesus-Weg gestalten.
  Überlegt, welche Stationen ihr darstellen wollt.
  Sucht Materialien, mit denen ihr eure Bilder ergänzt.
  Baut den Stationen-Weg im Klassenraum auf.
  Geht von Station zu Station und erklärt einander die Bilder.
  Ihr könnt auch ein Lied singen, ein Gebet sprechen, Musik dazu hören.
- In der Fastenzeit denken die Christen an Menschen, die ihre Hilfe brauchen. Erkundigt euch über die Misereor-Aktion und die Kinderfastenaktion.

Die Auferstehung Jesu feiern

In der Osternacht feiern Christen die Auferstehung von Jesus und singen voll Freude:

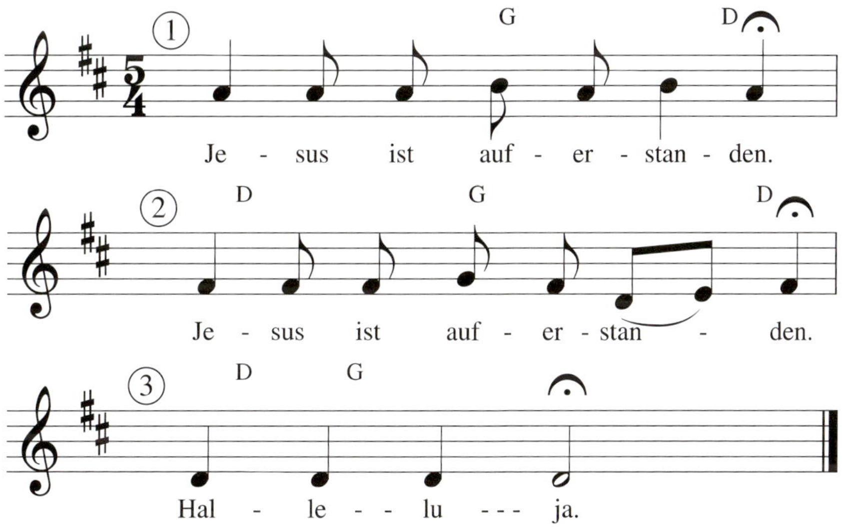

Ostern feiern

Ein Osterlied

T: Rolf Krenzer
M: Paul G. Walter
Musikbär-Verlag

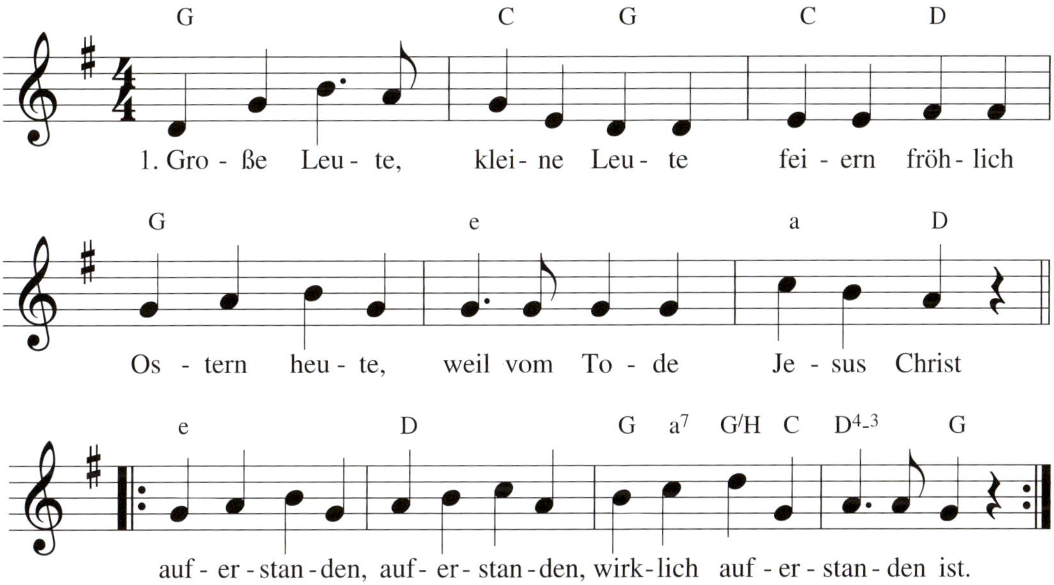

- Überlege, wie du selbst eine Osterkerze gestalten kannst.
  Du brauchst dazu eine weiße Kerze, farbige Wachsblättchen, ein Messer und einen Karton als Unterlage.
- Gestaltet einen Frühlingsstrauß für das Klassenzimmer.
- Du kannst Körner in einen Blumentopf säen.
  Gieße regelmäßig und beobachte!
- Warum schmücken Menschen zu Ostern ihre Brunnen?

Der Lebensweg Jesu – Stationen im Jahreskreis

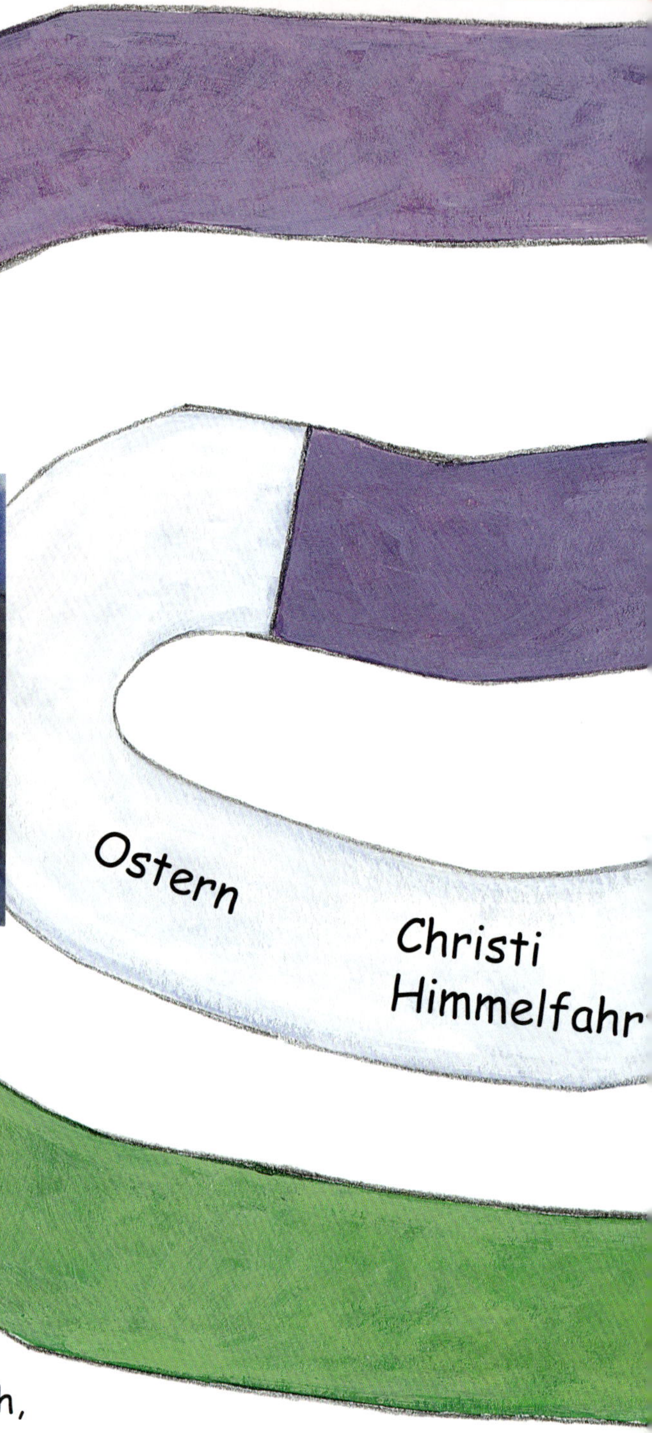

- Vor Weihnachten und Ostern gibt es Zeiten der Vorbereitung. Sammelt Vorschläge, wie ihr diese Zeit gestalten könnt.
- Erntedank, Allerheiligen, Barbara, Aschermittwoch, Kirchweih, Franziskus, Elisabeth, Martin, Nikolaus – schreibt diese Feste auf Kärtchen und legt sie an die richtige Stelle im Kirchenjahr.

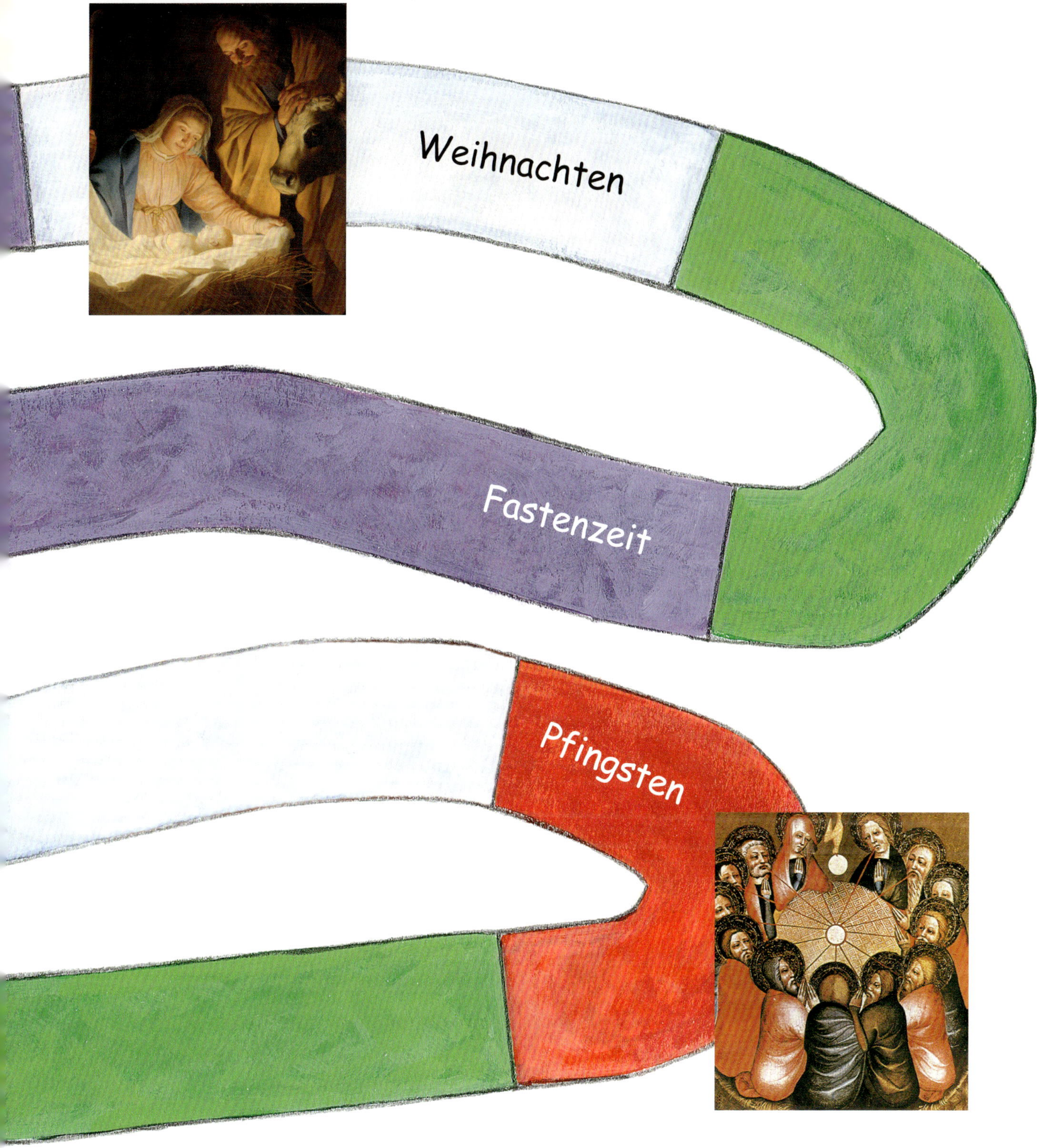
Weihnachten
Fastenzeit
Pfingsten

Gott danken für die Früchte des Jahres

- Überlegt, für welche Gaben ihr Gott danken wollt.
- Gestaltet mit ihnen ein Mandala, vielleicht ähnlich wie die auf Seite 7.

Ein Dankgebet zum Mitmachen

Wir wenden uns nach Osten: Vom Osten, von der Richtung der aufgehenden Sonne, empfangen wir Frieden, Licht, Weisheit und Wissen.

Gott, wir danken für diese Gaben.

Wir wenden uns nach Süden: Vom Süden empfangen wir Wärme, Geleit, Anfang und Ende des Lebens.

Gott, wir danken ...

Wir wenden uns nach Westen: Vom Westen empfangen wir Regen, reinigendes Wasser, Kraft für alles Lebendige.

Gott, wir danken ...

Wir wenden uns nach Norden: Vom Norden empfangen wir Kälte, gewaltige Stürme, Schnee und Eis, Stärke, Kraft und Ausdauer.

Gott, wir danken ...

Wir wenden den Blick zum Himmel: Vom Himmel empfangen wir Dunkelheit und Licht, deinen Atem, den Hauch deines Geistes und die Botschaften deiner Engel.

Gott, wir danken ...

Wir wenden unseren Blick zum Boden, zu unserer Mutter Erde: Von der Erde kommen wir und zur Erde kehren wir zurück.

Gott, wir danken ...

Wir wenden uns zueinander und reichen uns die Hand: Mögen wir gehen auf deinen Pfaden, dass wir leben als Schwestern und Brüder auf dieser Erde, dass wir uns an den Gaben der anderen freuen, dass wir die Sorgen der anderen teilen und zusammen mit dir das Angesicht der Erde erneuern.

Ein Gebet der nordamerikanischen Indianer

Mein
Ich-Buch
Mein Name:

Mein Ich-Buch

Kaufe dir ein dickes Heft mit einem schönen, festen Einband. Du kannst den Umschlag auch selbst gestalten.
Das Ich-Buch begleitet dich durch dein ganzes Schuljahr.
Du kannst in das Ich-Buch schreiben, malen, kleben, alles, was du möchtest, daheim und in der Schule, wenn du dafür Zeit bekommst.

Hier findest du einige Beispiele:

- Ein Bild von mir: Ich verziere meinen Namen.
- Das ist meine Familie: Warum ist sie mir wichtig?
- Wer ist mir noch sehr wichtig?
- Was gefällt mir an meinem Freund, an meiner Freundin?
- Wann fühle ich mich wohl?
- Ein Lied, das mir gefällt.
- Ein Bild aus dem Religionsbuch und was mir dazu einfällt.
- Welche Sätze aus dem Religionsbuch gefallen mir?
- Eine Geschichte, die ich mir ausgedacht habe.
- Was hilft mir, wenn ich Angst habe?
- Wenn ich groß bin, werde ich ...
- Was ich mir wünsche.
- Ein schöner Tag, an den ich mich gerne erinnere.
- Ich freue mich auf Weihnachten ...
- Wie ich meinen Geburtstag feiere.

Sicher hast du noch viele Ideen.
Das Ich-Buch ist ein Buch für dich.
Du kannst es deiner Lehrerin/deinem Lehrer und deinen Eltern zeigen.
Bilder und Geschichten, die niemand sehen soll, lege in einen Umschlag.

Hast du Lust bekommen? Dann fang einfach an!

GOTT, sei vor uns und leite uns.
GOTT, sei neben uns und begleite uns.
GOTT, sei hinter uns und schütze uns.
GOTT, sei unter uns und trage uns.
GOTT, sei über uns und öffne uns.
GOTT, sei in uns und schenke uns ein lebendiges Herz.

Gib uns Ohren

Kanon: Bernd Schlaudt

Allerhand mit Wörtern und Geschichten machen

- mit den Lieblingsworten spielen: Buchstaben verzieren, verschiedene Farben verwenden, mit den Buchstaben ein Bild gestalten
- eine Geschichte weitererzählen
- eine Person in der Geschichte erzählen lassen, z. B: Ich bin Bartimäus, ich ...
  - eine Person interviewen, z. B. den Gelähmten, Nikolaus oder ?
    - Tiere oder Dinge erzählen lassen, z. B. Ochs und Esel; die Bahre des Gelähmten ...
    - sich Sprechblasen ausdenken
    - eine Geschichte spielen
    - eine Geschichte mit Orff-Instrumenten begleiten
    - zu einer Geschichte ein Bild malen oder eine Bilderreihe
    - sich ein Gebet ausdenken

Mit Bildern weiterarbeiten

- eine Geschichte zum Bild erzählen
- zum Bild eine Überschrift finden
- dem Nachbarn, der Nachbarin erzählen, was du siehst
- Sprechblasen für die Personen ausfüllen
- Fragen an eine Person im Bild stellen: „Warum hast du ...?"
- das Bild weitermalen
- eine Person auf dem Bild aussuchen, die du gerne wärst ..., die du nicht gerne wärst ... warum, warum nicht?
- ein Umrissbild ausmalen mit den Farben des Bildes, mit anderen Farben
- ein Bild nachstellen
- sich eine Musik ausdenken, die zu dem Bild passt
- ein Bild mit einem schönen Rahmen verzieren
- ein Bild, das dir gefällt, der Klasse vorstellen
- eine Ausstellung mit euren Lieblingsbildern in der Klasse veranstalten

Mit Liedern weiterarbeiten

- eine Liedstrophe weiterdichten
- den Text rhythmisch sprechen
- zum Lied eine Begleitung mit Instrumenten finden
- zu einem Lied Bewegungen oder einen Tanz finden
- ein Lied abwechselnd einzeln – in Gruppen – in der ganzen Klasse singen
- ein Lied summen, laut und leise singen; flüstern
- ein Lied laut und leise singen, je nachdem, wie der Knopf am Radio gedreht wird
- den Takt klatschen, Geräusche mit verschiedenen Gegenständen dazu erfinden
- zu einem Lied ein Bild nur mit Farben malen

Miteinander Unterricht planen und durchführen

Für ein Fest (Sankt Martin, Weihnachten, Geburtstag)
- ein Lied einüben, sich ein Spiel ausdenken
- eine Unterrichtsstunde oder sogar einen Unterrichtstag gestalten
- die Nachbarklasse oder die Eltern dazu einladen
- bei der Vorbereitung eines Gottesdienstes helfen, z. B. für Weihnachten

Für eine Klassenversammlung
- eine Tagesordnung zusammenstellen
- einen Leiter oder eine Leiterin wählen

Für die Klasse
- Klassenregeln aufstellen und von Zeit zu Zeit überprüfen

Für das Ende der Woche
- eine „Wochenschau" zusammenstellen

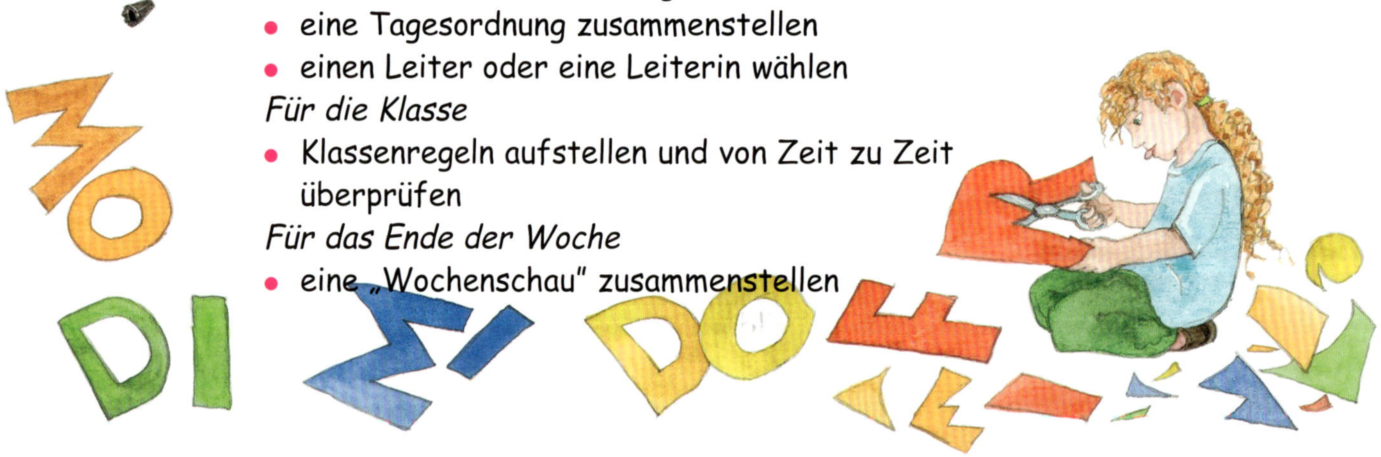

Quellenverzeichnis

6 Foto: Boris Rostami-Rabet, Hamburg
7 Fotos: Ulla Heitmeier, Dachau – Christa Pilger-Feiler, Günther Atzinger, Kümmeltal – M/T: Monika Zimmermann © Bergmoser + Höller Verlag GmbH, Aachen
9 Foto: Alois Krammer, Graz
14/15 T/M: Martin G. Schneider © Gustav Bosse Verlag, Kassel
16 Fotos: Hans-Werner Kulinna, Paderborn (2) – Hermann Steigert, Freiburg
17 Fotos: Hans-Werner Kulinna, Paderborn – Rainer Leitzgen, Lohmar – Angelika Paintner, Ichenhausen
20 T: Rolf Krenzer, Recht beim Autor/M: Ludger Edelkötter © KiMu Kinder Musik Verlag, Essen
21 Claude Monet (1840-1926), Seerosenteich und japanische Brücke (Harmonie in rosa), 1900, Öl auf Leinwand, 89,5 x 100 cm, Musée d'Orsay, Paris, Foto: Peter Willi/Artothek
22 Fotos: Lorenz Anzinger, München (3) – Valder/Tormey © 2005 imagestopshop.com – Kösel-Archiv
23 Michael J. Howell – corbis, Düsseldorf – Christof Bärhausen, Poppenhausen – Kösel-Archiv – Isolde Langer, Neunkirchen-Seelscheid – Th. A. Naske, Rendegg
25 Günter Weber, Was wir zählen und messen können, in: RU heute 2/2003
26 in: Lothar Kuld, Das Entscheidende ist unsichtbar. Wie Kinder und Jugendliche Religion verstehen, Kösel-Verlag, München 2001, S. 52 – in: Benita Glage, Warum bleibt der Gott im Himmel? Mit Kindern über das Leben nachdenken. Ein Lesebuch, Kösel-Verlag, München 1992, S. 121
27 in: Helmut Hanisch, Die zeichnerische Entwicklung des Gottesbildes bei Kindern und Jugendlichen. Eine empirische Vergleichsuntersuchung mit religiös und nicht religiös Erzogenen im Alter von 7 bis 16 Jahren, Calwer-Verlag, Stuttgart 1996, Bild Nr. 15 – s. o., Bild Nr. 10 – Quelle nicht zu ermitteln – Kinderzeichnung: Gott als Frau in: Stephanie Klein, Gottesbilder von Mädchen, Kohlhammer-Verlag, Stuttgart 2000, Bild 8 nach S. 112
29 Foto: Doris Friemel, Augsburg
30 T: Rolf Krenzer/M: Detlev Jöcker © Menschenkinder Verlag und Vertrieb, Münster – Fotos: Doris Friemel, Augsburg (2) – in: Martin Jäggle, Du magst mich, Wien 1994, S. 83
31 Stock Imagery/Bavaria – Bavaria Peacock/Bavaria – Ulla Heitmeier, Dachau – V. Reister, Filderstadt – Kösel-Archiv – Lorenz Anzinger, München
33 Pablo Picasso (1881-1973), Paulo beim Zeichnen, 1923, Öl auf Leinwand, 130 x 97 cm, Musée Picasso, Paris © Sucession Picasso/VG Bild-Kunst, Bonn 2010
35 © Sieger Köder, Labyrinth
39 Foto: H. Pabel, Frasdorf/Kösel-Archiv – T: Diethard Zils nach dem Lied „Abraham, Abraham, verlaat je land" von Hanna Lam 1968 © Gustav Bosse Verlag, Kassel (Dt. T)/M: Wim ter Burg 1968 © Verlag G. F. Callenbach Nijkerk, Holland
41 Abraham und die drei Engel, Ingeborg-Psalter, um 1195, Musée Condé, Chantilly
42 T/M: Robert Haas, Kempten
43 Ernst Alt, Josef der Träumer
45 Ernst Alt, Josef in der Zisterne
46 T/M: Robert Haas, Kempten
47 Ernst Alt, Josef als Verwalter von Ägypten
48 T/M: Robert Haas, Kempten
49 Ernst Alt, Wiedersehen und Versöhnung
50/51 T/M: Robert Haas, Kempten
52 T: Rolf Krenzer/M: Siegfried Fietz © ABAKUS Musik Barbara Fietz, Greifenstein
53 Emil Nolde (1867-1956), Christus und die Kinder, 1910, 86,5 x 106,5 cm, Öl auf Leinwand © Nolde-Stiftung, Seebüll, Wvz Urban 350
54 T: Rolf Krenzer/M: Martin Göth, Jesus, Freund der Kinder, S. 12f. © Lahn-Verlag, Kevelaer, www.bube.de – T/M: Detlev Jöcker © Menschenkinder Verlag und Vertrieb, Münster
56 T/M: Franz Kett © RPA-Verlag, Landshut
57 Sr. Sigmunda May, Heilung des Blinden, 1973, 58 x 24 cm, Holzschnitt, Foto: M. Berta Weber © VG Bild-Kunst, Bonn 2010
59 Die Heilung des Gichtbrüchigen (Mk 2,1-12), Buchmalerei, Echternach, um 1050, Goldenes Evangelienbuch Heinrichs III., Format 35 x 50 cm, Escorial, Codex Vitrinas 17, fol.65r, Foto: akg-images
61 Der gute Hirt, Deckengemälde in der so genannten Grabkammer der Verschleierten in der Priscilla-Katakombe, Ende 3. Jahrhundert, Rom, Foto: Kösel-Archiv
62 in: Zierde für ewige Zeit. Das Perikopenbuch Heinrichs II. Coron Verlag Monika Schoeller, Lachen am Zürichsee 1994, Tafel 45, Initialseite V., Bayerische Staatsbibliothek, München fol 153r
63 K. Schnabl, Du machst mein Leben schön (Religion 2), hg. v. Interdiözesanen Katechetischen Fonds, Wien 1995, S. 26 – Kösel-Archiv – Th. A. Naske, Randegg, in: M. Jäggle/Josef Dirnbeck, Du machst mein Leben schön (Religion 2), hg. v. Interdiözesanen Katechetischen Fonds, Wien 1995, S. 24 – KNA, Bonn

64 Barrio La Viktoria/Valencia, Foto: Jürgen Escher, Herford

65 T/M: Franz Kett © RPA-Verlag, Landshut – in: Bartos Burghard, Brotzeit. Geschichten um das tägliche Brot, Verlag St. Gabriel, Mödling-Wien 1997

67 T/M: Gertrud Lorenz, Rechte bei der Autorin

68 Prof. Leonardo Boff, Befreiungstheologe, in einem von ihm initiierten Straßenkinder-Projekt in Rio de Janeiro, Foto: Christl Fattler, Rosenheim © AK Menschen für ein Lebensrecht der Schöpfung – dpa – Foto: Straßenambulanz „St. Franziskus", Ingolstadt

69 Georges Rouault (1871-1958), Haupt Christi, 1938, 105 x 75 cm, Öl auf Papier, Cleveland, Museum of Art © VG Bild-Kunst, Bonn 2010

71 Die Geburt Christi, aus dem Weihnachtsfenster der ehemaligen Klosterkirche Königsfelden, Glasmalerei um 1315

72 Fotos: Anton Jäckle, Ebersberg (3) – Foto: Jörg Zink

78/79 Echternacher Codex, Germanisches Nationalmuseum, Nürnberg, Inv.-Nr. HS 156142 fol. 110v und fol. 111r

81 Andreas Felger (*1935), Ich bin die Tür, 1996, Aquarell © Andreas-Felger-Kulturstiftung, Berlin, www.af-kulturstiftung.de

82 T: Rolf Krenzer / M: Martin Göth © Studio Union im Lahn-Verlag, Kevelaer

83 Andreas Felger (*1935), Spannung, Aquarell © Andreas-Felger-Kulturstiftung, Berlin, www.af-kulturstiftung.de

86 T/M: traditionell

87 Hl. Martin, Oberschwaben, um 1440, Diözesanmuseum Rottenburg

88 in: Rolf Krenzer, Glauben erlebbar machen © Verlag Herder, Freiburg im Breisgau ^{6}1996

89 Jungfrauenlegende, Fresko des Meisters der Georgslegende, Ende 14. Jahrhundert, Schenna, Südtirol, St. Georg

90 Foto: Jost Schilgen, Berlin

91 Elisabeth speist einen Hungernden, Elisabeth-Zyklus, um 1420, Lübeck, Foto: Heiligen-Geist-Hospital, Lübeck

93 Giotto (1267-1337), Die Lossagung vom Vater, Fresko in der Basilika San Francesco, Langhaus, Assisi, Foto: Stefan Diller, Würzburg

94 Andreas Felger (*1935), Ich, Aquarell © Andreas-Felger-Kulturstiftung, Berlin, www.af-kulturstiftung.de

95 (899) Friedensreich Hundertwasser (1928-2000), Bärnbacher Andacht, 1987, 29,3 x 18 (46 x 40) cm, mehrfarbige Radierung © NAMIDA AG, Glarus/Schweiz

98 in: Renate Ferrari, Wörter haben bunte Flügel. Christophorus Verlag, Freiburg 1998, S. 5

100 Foto: Andrea Wirth, Hengersberg

101 Foto: Andrea Wirth, Hengersberg – Gotteslob Nr. 46, T: Rosemarie Habert 1971/M: Gerhard Blank, 1971

102 Fotos: Anita Hofbauer, Rotthalmünster (2) – Lothar Wiesner, Bildbeilage Nr. 7 zu „das thema" Nr. 28/86 zu S. 107, 151

103 in: Martin Jäggle/Josef Dirnbeck, Du magst mich (Religion 1), hg. v. Interdiözesanen Katechetischen Fonds, Wien 1994, S. 86

106 Foto: Werner Ehlen, Mintraching – mündlich überliefert

109 Robert Delaunay (1885-1941), Rhythmus, Lebensfreude (Rythme, Joie de vivre), 1930 © L & M Services B.V. The Hague 20100306

111 T: Rolf Krenzer/M: Peter Janssens, in: Ich schenk dir einen Sonnenstrahl © Peter Janssens Musikverlag, Telgte-Westfalen

112/113 T: Friedrich Karl Barth/Peter Hort/Gerhard Grenz

114/115 Gerard van Honthorst (1590-1656), Die Anbetung der Hirten, 1622, Wallraf-Richartz-Museum Köln, WRM 2122

117 Kindermissionswerk „Die Sternsinger" – Misereor Werkheft, Einführung in die Fastenaktion 1999, S. 8

119 Foto: Anita Hofbauer, Rotthalmünster

120 Foto Osterfeuer: G. Winkler, Bad Endorf – Fotos: Walter Liehmann, Bad Endorf (3)

121 Foto: Walter Liehmann, Bad Endorf – T/M: überliefert

122 Foto: Peter Wirtz, Dormagen – Foto: Walter Liehmann, Bad Endorf – Foto in: Gustav Schmidt, Osterwasser und Osterbrunnen in Oberfranken, Heimatbeilage zum amtlichen Schulanzeiger des Regierungsbezirks Oberfranken, Ludwigstr. 20, 95444 Bayreuth, April 1998, Nr. 251, S. 16

123 T: Rolf Krenzer/M: Paul G. Walter © Strube Verlag, München-Berlin – Foto: Heidi Amman, Gauting – Verkündigung, Schottenmeister, Wien – Andreas Felger (*1935), Aquarell „Ich bin die Tür", wie zu S. 81 – Gerard van Honthorst, Die Anbetung der Hirten, 1622, wie zu S. 114f. (Ausschnitt) – Ausgießung des hl. Geistes, Osnabrücker Altar, um 1375

126 Foto: Hans-Werner Kulinna, Paderborn – Maren C. Tirabassi/Kathy Wonson Eddy, in: Gifts of many cultures. Worship Resources for the Global Community, United Church Press, Clevland 1995, S. 26, aus dem Englischen übertragen von Jörg Schirr

130 P. Manfred Hornung, © Vier-Türme-Verlag GmbH, Münsterschwarzach

131 Kösel-Archiv – IFA-Bilderteam, Frankfurt – in: Maschwitz, G. u. R., Gemeinsam Stille entdecken, Kösel-Verlag, München 1995, S. 191

132 T/M: Bernd Schlaudt, Rechte beim Autor